Food, food, fabulous food,
It gives us our energy and makes us feel good,
Poke it and break it, nibble it and shake it,
There's nothing quite like it, fabulous food.

Jídlo, Jídlo, Báječné Jídlo

Written by Kate Clynes
Illustrated by MW

Re-telling in Czech by Vladislava Vydra

MANTRA
LINGUA

Jídlo, jídlo, báječné jídlo
Dává nám energii, dává mám sílu,
Ochutnej si, Pochutnej si,
Protože není nic nad báječné jídlo.

Jídlo, jídlo, úžasné jídlo,
když ho jíme pospolu, máme dobrou zábavu,
olízni se, poděl se a rozděl se,
protože není nic nad úžasné jídlo.

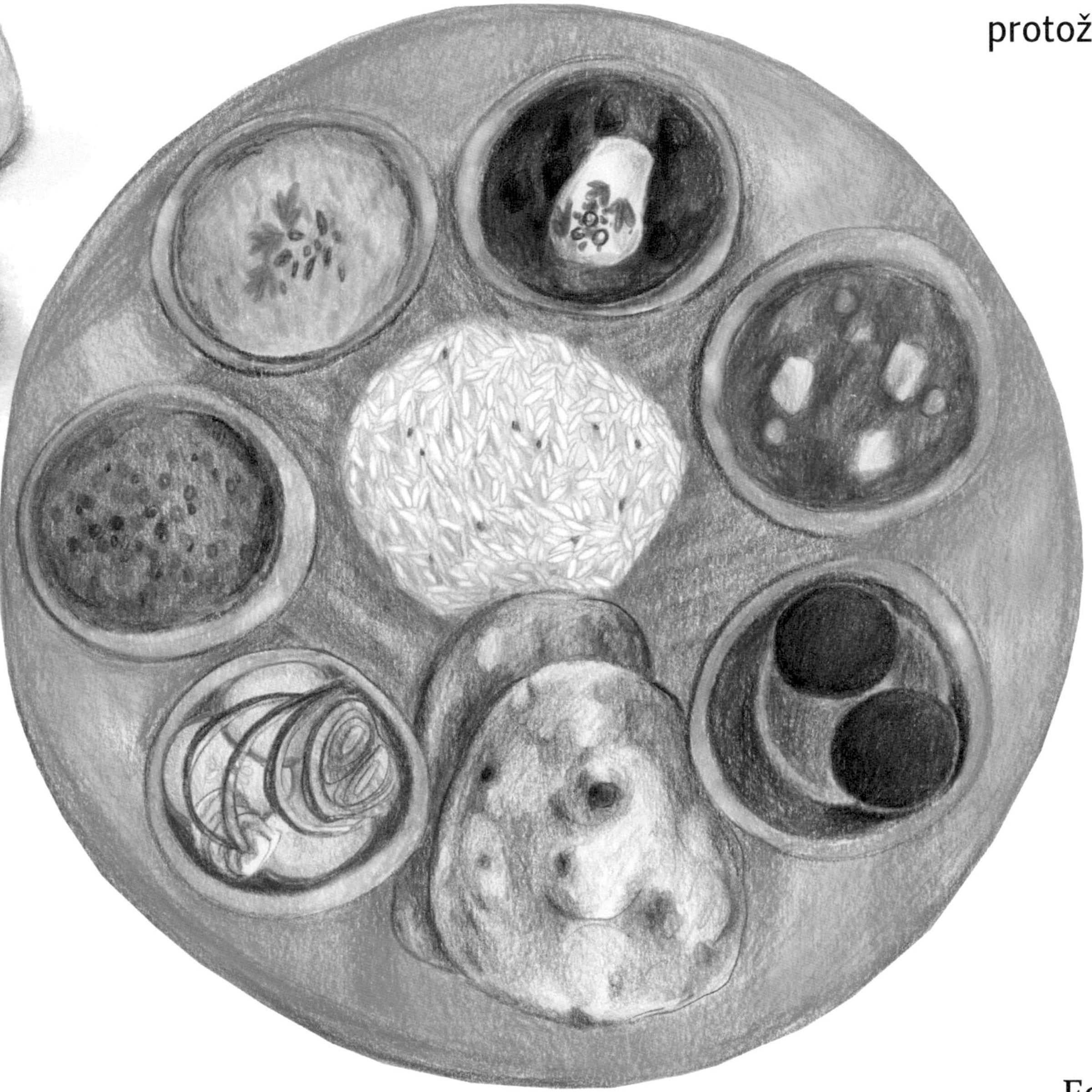

Food, food, wonderful food,
It brings us together, which always feels good,
Share it and pick it, poke it and lick it,
There's nothing quite like it, wonderful food.

Jídlo, jídlo, skvělé jídlo,
zpevňuje nám svaly, dává nám sílu,
a tak ať máme chuť k jídlu.
Protože není nic nad skvělé jídlo.

Food, food, beautiful food,
It builds up our muscles to work as they should,
Grab it and tear it, hold it and share it,
There's nothing quite like it, beautiful food.

Jídlo, jídlo, nakupujeme jídlo,
Je z čeho vybírat,
Nakupto, zabal to a ochutnej to,
Protože není nic nad to vybrat si jídlo.

Food, food, shopping for food,
What shall we ask for it all looks so good,
See it and buy it, pack it and try it,
There's nothing quite like it, choosing our food.

Jídlo, jídlo, připravme si jídlo,
a podle receptu, to nemá chybu,
zamíchej, uvař to a upeč to,
protože není nic nad to, když si připravíme jídlo.

Food, food, making our food,
Follow the recipe, cook something good,
Mix it and shake it, cook it and bake it,
There's nothing quite like it, making our food.

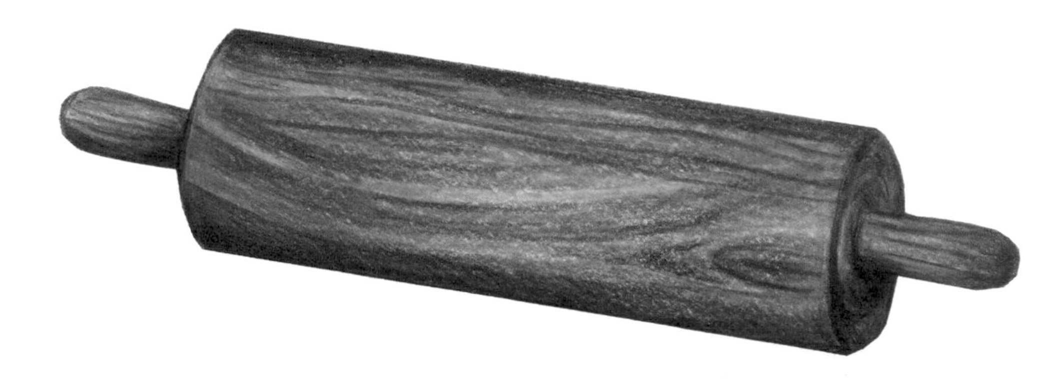

Jídlo, jídlo, pěstujeme si jídlo,
sluníčko nám pomůže,
zasaď to, zalej to, miluj to,
protože není nic nad to když si pěstujeme jídlo.

Food, food, growing our food,
Out in the sunshine, we all feel so good,
Plant it and water it, love it and talk to it,
There's nothing quite like it, growing our food.

Jídlo, jídlo, neuvěřitelné jídlo,
zlepší nám náladu,
koukni na ty tvary a krásné barvy,
podívej se co dokáže zázračná příroda.

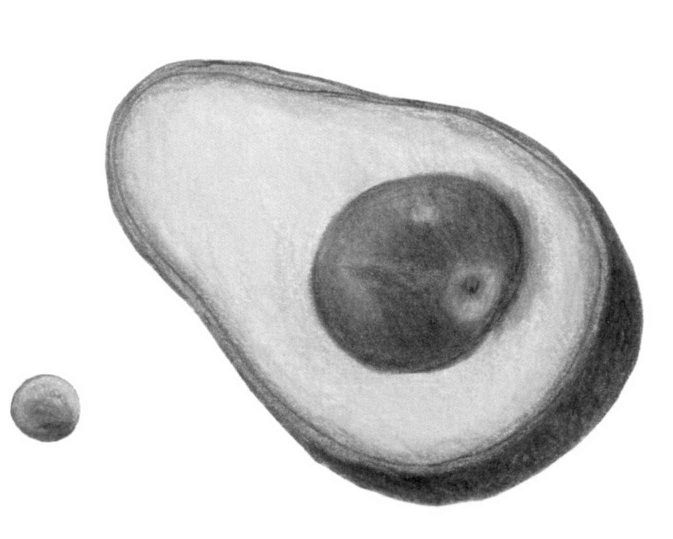

Food, food, incredible food,
It puts us all in a very good mood,
Beautiful colours, and various shapes,
Nature's amazing, just look what it makes.

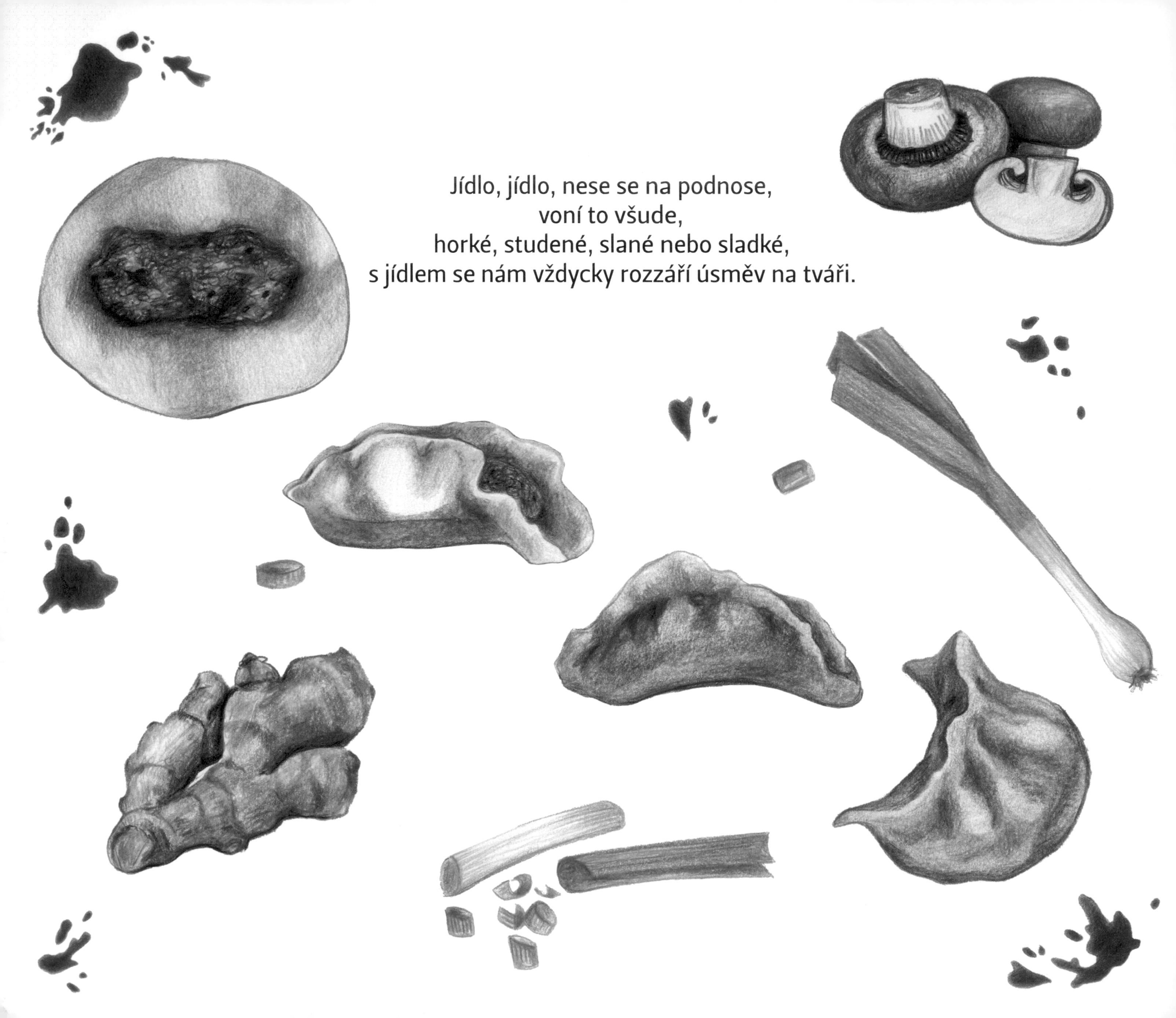

Jídlo, jídlo, nese se na podnose,
voní to všude,
horké, studené, slané nebo sladké,
s jídlem se nám vždycky rozzáří úsměv na tváři.

Food food, a tray full of food,
Squeeze it and shape it and make it look good,
Hot, cold or just right, salty or sweet,
A tray full of food is always a treat.

Pití, pití, naplň si sklenici,
mlékem, džusem, vodou,
nalej, rozlej a neukápni,
dávej pozor, že je všechno ve sklenici.

Drink, drink, fill up our cup,
Milk, juice or water, right up to the top,
Pour it or tip it, splash it or drip it,
Carefully does it, to not spill a drop.

Jídlo, jídlo, zdravé jídlo,
kručí nám v bříšku, všude to voní,
tak ať už to máme na talíři,
protože není nic nad čekání na jídlo.

Food, food, healthy food,
Our tummies are rumbling, it all smells so good,
See it and serve it, as we all deserve it,
There's nothing quite like it, waiting for food.

Jídlo, jídlo, dělíme se o jídlo,
tolik zdravých dobrot na vybranou,
s láskou mezi námi jsme z toho šťastni,
protože není nic nad zdravé jídlo.

Food food sharing our food,
So many choices and all of them good,
We all love each other and we all agree,
There's nothing quite like it, to keep us healthy.

For Ellis and Indigo
– KC

For Edie and Otis
– MW

First published in 2019 by Mantra Lingua
Global House, 303 Ballards Lane, London N12 8NP
www.mantralingua.com

This sound-enabled edition published 2020

A CIP record for this book is available from the British Library

Printed in UK 120520PB06203165